D1300657

La cabra que no estaba

Corrección: Consuelo López Moya
Diseño y maquetación: Guridi

C/ La landrona, 2
03380 Bigastro (Alicante)
info@funreaders.es
www.funreaders.es

Primera edición: septiembre, 2015
ISBN: 978-84-944412-0-2
DL: A-655-2015
Impreso en Alprint, Murcia

El papel utilizado para la impresión de este libro (Cyclus Offset) es cien por cien reciclado y libre de cloro, por lo que está calificado como papel ecológico.

Pablo Albo:

"Para África, Lola y Valentina, que no son cabras, pero me encantan cuando están como ellas"

Guridi:

-Papá, ¿crees que estoy loca?
-"Estás loca, como una cabra, majareta, pero ¿sabes qué?, las mejores personas lo están"

LA CABRA QUE NO ESTABA

Pablo Albo & Guridi

AMANECE

Estaba oscuro todavía. La noche aún tenía la luna pálida y un montón de estrellas desperdigadas por el cielo, pero ya empezaba a recoger tanta oscuridad para dejar sitio al sol.

El sol asomó sus primero rayos, despacio, con pereza todavía.
- Oaaaoaoaaaoaoaoaoaooaoaaaaaaah -bostezó.

Al oírlo, el gallo despertó y cantó:

- Kiiiii, kikirikí í í í í.

Cinco gallinas dormían encima de un palo, todas en fila, hasta que el cacarear del gallo despertó a la primera que dijo:

- ¡Coo!

Y, al oírla, la gallina de al lado dijo:

- ¿Coo qué?

Y la tercera gallina le respondió a la segunda:

- Pues coo, coo.

Y la gallina de al lado de la tercera, que era la cuarta gallina, despertó y dijo:

–¿Qué coo, coo?

Y la última gallina del palo, la quinta, se estiró, se desperezó y para poner fin a todo el jaleo cantó:

–¡Cooooo, cooooo, coooooricóóóóó!

El canto de las gallinas despertó al cerdo que dijo:

–¡Oink!

El burro oyó al cerdo y dijo:

–¡Iiiihhhhjjjj-oooooooh!

En ese momento diecisiete ratones salieron al mismo tiempo de sus madrigueras y dijeron:

- ¡Cri!

Un ratón rezagado llegó un poco después, miró a un lado, miró al otro lado y dijo:

- ¡Ah, sí, eso! ¡Cri!

Y así, poco a poco, todos los animales de la granja fueron despertando y saludando al nuevo día cada uno en su idioma.

De pronto, un grito desgarrador rompió toda la armonía de aquel momento. Todos los animales, asustados, se metieron rápidamente en sus guaridas, menos los ratones que se quedaron olisqueando el aire hasta que se oyó un silbido y se escondieron ellos también. El rezagado miró a un lado y a otro sin saber lo que pasaba hasta que se volvió al oír el mismo silbido, esta vez más fuerte.
–¡Ah, sí, esconderse! –se dijo y desapareció.

Tras el grito se hizo el silencio en la granja. El silencio absoluto. No se oían ni las moscas. No se oía ni el viento. No se oía nada de nada.

El sol, allá en lo alto, también quiso esconderse y se tapó con unas nubes. Entonces una gran sombra cubrió toda la granja dándole un ambiente de misterio. Parecía que algo iba a pasar de un momento a otro. Pero lo cierto es que no pasó nada, así que después de un buen rato, el burro se atrevió a asomar el hocico:

–¿Ya? –preguntó al aire.

Nadie contestó. Volvió a hacerse el silencio absoluto. De nuevo no se oía ni una mosca... Bueno, sí... una mosca sí que empezó a oírse esta vez, pero solo una.

Al rato el burro, al ver que nadie decía nada, repitió:
–¿Ya?

De nuevo se hizo el silencio. Tras unos minutos, una gallina, tímidamente, se atrevió a preguntar:
–¿Ya qué?

Otra gallina le dijo:
–¿Qué?

Y la tercera respondió a la segunda:
–Que ya qué.

La cuarta gallina no lo entendió y dijo:
–¿Cómo que «que ya qué»?

El burro explicó:
-Que si ya ha pasado.

Y la quinta gallina preguntó:
-¿Que si ha pasado qué?

A lo que el burro contestó:
-No lo sé.

-Burro, te referirías al grito -intervino el cerdo.
-Sí, eso -recordó el burro.

Entonces aparecieron los ratones, de pronto, como siempre, todos a la vez (menos uno). Asomaron el hocico desde sus escondrijos y uno de ellos propuso:
-Habrá que preguntarle al búho.

Los demás ratones le apoyaron con su algarabía, hablando todos a la vez:
-Sí, al búho.
-Eso, al búho.
-Huy sí, al búho.
-Es verdad, al búho.
-Al búho.
-Al búho.

Pero entonces el cerdo recordó algo:
-Pero, si por aquí no vive ningún búho.
-¡Claro! ¡Jjjjjjj! ¡Habéis caído! -exclamaron los ratones muertos de risa.

Y se escondieron todos a la vez... menos el rezagado que recalcó:
-¡Eso, ja, habéis caído! -y se fue él también.
-Bueno, sea lo que sea, ya ha pasado -dijo el burro.

Las gallinas dijeron:

–Es verdad.

–Es verdad.

–Es verdad.

–Es verdad.

–Es verdad.

Pero en eso volvió a escucharse el mismo grito desgarrador, estridente, un grito fuerte.

Todos se escondieron, menos el burro que se tapó los ojos con las orejas y, como no veía nada, pensaba que nadie podía verle a él.

Esta vez tardaron menos en volver a asomar la cabeza y el cerdo dijo:
–El grito parecía de la cabra.

–Voy a preguntarle si está bien –dijo el burro y se fue hacia el corral de la cabra.

Al poco volvió cabizbajo y triste.
–¿Cómo está la cabra? –le preguntó el cerdo.

Y las gallinas le siguieron:
–¿Cómo?

–¿Cómo?

–¿Cómo?

–¿Cómo?

–¿Cómo?

–No lo sé –admitió el burro misteriosamente.

–¿Pero está bien? –insistió el cerdo.

–No –respondió el burro–. Ni mal. La cabra no está nada. La cabra no está.

Todos, cerdo, gallinas y ratones abrieron el morro, el pico o el hocico para emitir una exclamación de asombro y lástima por su compañera cabra:

–¡Oooooh!

Las moscas zumbaron también con tristeza.

Los animales estuvieron un rato cabizbajos y pensativos hasta que el burro levantó la cabeza de pronto y con una sonrisa dijo:
–¡Pero volverá!
–Sí, ya, como Flipi –dijo el cerdo con ironía.

El burro le respondió al cerdo:
–Flipi no era una cabra. Era un pavo.
–Sí, pero también desapareció un día y ya no se volvió a saber de él.

Y las gallinas empezaron:
–No, no volvió.

–No.

–Sí.

–¿Cómo que sí?

–Sí, que no volvió.
–Y nuestros huevos también desaparecen cada mañana y nunca vuelven.
–Nunca.

–Nunca.

–Nunca.

–Nunca.

Y el cerdo añadió:
–Y Gripi tampoco volvió.

Y las gallinas le siguieron de nuevo:
–Ni Flipi ni Gripi.

–Ni Fini.

–Ni Pili ni Mili.

–Ni Tiquis.

–Ni Miquis.

Entonces intervinieron los ratones temblando de miedo:
–¡Habrá sido el lobo!

Todo el mundo se alborotó:
– ¡Ay, el lobo!

– ¡El lobo!

– ¡Que viene el lobo!

–Eh, un momento. Por aquí no hay lobos –dijo el cerdo.

–¡Claro, jjjjjjjj! –dijeron los ratones muertos de risa.

- ¡Pero gatos, sí! –se vengó el cerdo y todos los ratones se escondieron muertos de miedo.

–¡Ay, gatos sí que hay! –dijo el ratón rezagado y se escondió también.

LA NO DESAPARICIÓN DEL BURRO

Arriba, en el cielo, el sol todavía se reía del susto que les había dado el cerdo a los ratones al hablarles del gato. Por una vez les habían devuelto la broma.
Abajo, en el suelo, el ambiente era más triste. Reinaba la preocupación por la cabra.

–¿Qué le puede haber pasado a la cabra? –preguntó el burro.

–Pues eso es fácil de adivinar: o se ha ido ella sola o se la han llevado –contestó el cerdo resignado.

–Puede que no sea nada de eso –dijo el burro.

–Anda, ¿entonces qué?

–Yo no entiendo muy bien las cosas, pero sé que hay veces que el lugar donde te encuentras no es el de siempre y no recuerdas que nadie te haya llevado ni haberte ido tú. A mí me pasó una vez... –el burro hizo una pausa.

Todos los animales se pusieron en corro y se sentaron en silencio, porque aquello parecía el principio de una historia. Hasta los ratones asomaron el hocico pero se quedaron quietos y callados.
En ese momento el burro descubrió una margarita en el suelo, se puso a mordisquearla y se olvidó de que estaba hablando.

–¿Qué te pasó una vez, burro? –le dijo el cerdo al ver que no seguía.

–¡Ah, sí! Perdón. Decía que me pasó una vez que levanté la vista y me di cuenta de que me encontraba en un lugar desconocido. A lo mejor es eso lo que le ha pasado a la cabra.

–¿Y cómo llegaste a aquel lugar desconocido? –preguntó el cerdo.

–No lo sé. Simplemente estaba allí, en aquel lugar. No era la granja.

–¡Habías llegado al espacio exterior! –dijo un ratón y todos le siguieron:

- ¡El espacio exterior!

- ¡Oh, el espacio exterior!

–Fuera de los establos y del muro de piedra.
–Más allá del muro de piedra.
–De la frontera.

- Más allá.

- Más allá.

- ¿En el más allá? –gritó el ratón rezagado.

–No, no tanto. Era a este lado del amplio muro de piedra que rodea nuestras jaulas y establos, pero un sitio desconocido. Como no sabía cómo había llegado hasta allí, me puse a investigar. Enseguida descubrí unas huellas en el suelo...

–¡Oooooh! –exclamaron los ratones.

–¿De quién eran las huellas? –preguntó el cerdo.

–¿De quién?

–¿De quién?

–¿De quién?

–¿De quién?

–¿De quién? –le siguieron las gallinas.

–¡Las huellas eran mías!

- ¡Oooooh! –exclamaron los ratones.

–Las seguí, tratando de saber a dónde había ido –continuó el burro.
–Pero, burro, querrás decir de dónde venías –le corrigió el cerdo.
–Ah, claro, por eso me llevaron a un sitio donde yo había estado justo antes. En el suelo había un papel –el burro bajó la cabeza con tristeza y guardó silencio.

Los demás animales aguardaron expectantes. Al final, el cerdo, al ver que no seguía, le preguntó:
–¿Qué ponía en el papel, burro?

–¡No lo sé! ¿Cómo quieres que lo sepa? –Y tras otra pausa añadió con dramatismo–: **¡Yo no sé leer!** Todo el mundo lo sabe: los burros no vuelan.
–¿Qué tiene que ver lo de volar? –preguntó el ratón rezagado–. ¿Me he perdido algo?
Otro ratón le contestó:
–Menos mal que lo has preguntado, yo tampoco lo entendía.
–Tiene que ser que se ha liado –dijo un tercer ratón y dirigiéndose al burro quiso aclarar–: Burro, querrás decir que los burros no leen.

–Efectivamente, ni leemos ni volamos, gracias por la información –dijo disgustado–. Pero sí podemos recordar... aunque poco, la verdad. Yo recordaba aquel papel, pero no sabía de qué. Unos minutos antes lo había estado mirando, estaba seguro. Si hubiera sabido leer quizá podría haberme acordado de qué conocía yo aquel papel y saber de dónde venía y dónde me encontraba. Hice algo que suelo hacer en esos casos:

«¡Iiiihhhhjjjj-oooooooooh!».

El burro les dio un buen susto a los demás porque no esperaban ese rebuzno.
–¡Huy perdón! Quiero decir que rebuzné de rabia. Lo que pasó en ese momento no os lo vais a creer.

El burro hizo una pausa hasta que el cerdo le preguntó:
–¿Qué pasó?

–¡Iiiihhhhjjjj-oooooooh! –el burro volvió a sobresaltar a todos–. ¡Vaya, otra vez! Lo siento. Es que otro burro rebuznó a lo lejos. Eso fue lo que pasó.

–¿Y qué quería decir? –preguntó el cerdo.

–Los rebuznos son rebuznos –respondió el burro un poco ofendido–. No son algo que se pueda decir de otra manera ni traducir a otro idioma. Era como un lamento de burro. Alguien que se queja amargamente porque no sabe leer. Yo comprendía perfectamente esa situación, así que le dije que a mí me pasaba lo mismo, que su tristeza y su rabia eran mi tristeza y mi rabia:

¡iiiihhhhjjjj-oooooooh! –los demás se llevaron otro buen susto, pero esta vez el burro ni se dio cuenta–. Sé que me oyó porque me contestó.

–¿Y qué te dijo esta vez? –quiso saber el cerdo.
–¡Iiiihhhhjjjj-oooooooh! –todos se espantaron por cuarta vez–

¿Pero por qué os asustáis si solo me decía que mi rabia y mi tristeza eran su rabia y su tristeza? Y yo le dije (esta vez todos se taparon los oídos)

«¡iiiihhhhjjjj-oooooooh!» para que supiera que su pena era mi pena y él:

«¡iiiihhhhjjjj-oooooooh!» (otra vez les pilló desprevenidos y se asustaron). Quería decir que mi pena era su pena. Guardé silencio y él tampoco dijo nada. Al rato agaché la cabeza, reflexionando sobre lo que acababa de vivir y no adivinaríais nunca lo que vi...

El burro hizo otra pausa y las gallinas le preguntaron con ansiedad:
–¿Qué?

–¿Qué?

–¿Qué?

–¿Qué?

–¿Qué?

–¡Una manzana! –respondió el burro.

–¡Oooooh! –exclamaron los ratones.

–Estaba a medio morder, pero eso a mí no me importa... –quiso continuar el burro, pero el ratón rezagado le interrumpió:

–¡Oooooh, una manzana!

–Me pirran las manzanas –siguió, ahora sí, el burro–. ¡Qué casualidad! Era la segunda manzana que me encontraba en ese día. Y no me digáis que es habitual encontrarse manzanas en medio del camino. La otra la había dejado a medio morder ese mismo día, no hacía mucho. Mordiendo esta me acordé de mi infancia.

–¡Oooooh! –exclamaron los ratones.

–Siempre me acuerdo de mi infancia mientras mastico una manzana –dijo el burro con los ojos cerrados y cara de estar disfrutando al recordar el sabor de la manzana.

–¡Oooooh! –exclamó el ratón rezagado.

El burro retomó su relato:
–Y también me acordé de que a la manzana que yo había dejado antes había llegado siguiendo una mariposa que volaba. Sí, recordé que había sido así. El cielo tenía aquel día unas nubes muy bonitas y cuando levanté la vista para verlas se me cruzó una mariposa...

–¿Y qué más? –preguntó el cerdo.

–¿Y qué más? –dijeron todos los ratones al mismo tiempo, menos el rezagado.
–Sí, eso, ¿qué más? –preguntó el rezagado.

Y las gallinas preguntaron:

–¿Qué más?

–¿Qué más?

–¿Qué más?

–¿Qué más?

–¿Qué más?

–Nada más. Eso es todo –contestó el burro–. Por eso digo que a veces uno se encuentra en un sitio que no conoce, no porque lo haya llevado nadie hasta allí ni porque se haya ido queriendo.

–Burro –intervino el cerdo.

–¿Qué?

–Lo que debió de pasar en realidad fue que levantaste la vista para ver las nubes y se te cruzó una mariposa. Siguiéndola, encontraste una manzana y te olvidaste de la mariposa. Le diste un bocado a la manzana y viste un papel al lado y te olvidaste de la manzana. Como te da mucha rabia no saber leer, rebuznaste y te contestó el eco. Estuviste un rato hablando con el eco y, cuando agachaste la cabeza, te volviste a encontrar la misma manzana.

–¿El eco?

–Sí, el eco.

–¿Se llama eco?

–Sí, se llama eco.

–¿Lo conoces?

–Sí, como todo el mundo.

El burro hizo una pausa y concluyó:
–Es mi amigo. Me comprende. Mi dolor es su dolor. Mi pena es su pena. Mi rabia es su rabia.
En ese momento volvió a escucharse otro grito desgarrado de cabra.

LA OPORTUNIDAD (PERDIDA) DEL CERDO

Cada vez que se oía el grito de la cabra, que venía de algún lugar de la granja, todos los animales agachaban la cabeza con tristeza. Si por lo menos supieran dónde se encontraba... Hasta el sol se estiraba todo lo que podía y se asomaba por todas las ventanas abiertas y buscaba en todos los rincones pistas de dónde podía estar. Pero no, aunque podían oírla, nadie sabía dónde se encontraba.

–Pobre cabra –dijo el burro–, debe de estar enferma. Ahora que lo pienso, se le veía cansada últimamente.

–Sí, y comía poco –completó el cerdo.

–Sí, y hacía poca caca jjjjjjjjjjjjjjj –rieron los ratones.

Las gallinas empezaron:

–¿Poca qué?

–Poca caca.

–Ah, sí, poca caca.

–Poca, poca.

–Poca, poca, caca –intervino el ratón rezagado–. Por eso grita. Le dolerá la barriga.
–Bueno, no siempre se grita de dolor –intervino el cerdo–. Y que sepáis que yo también estuve a punto de desaparecer. Pero en mi caso de irme yo, por mí mismo. Todo ocurrió una mañana. Me levanté y noté algo extraño. Olisqueé el aire «oink-oink» y, sí, olía a...

–A margaritas –trató de adivinar el burro.
–A queso –dijeron los ratones.
–A queso –dijo el ratón rezagado.
–A grano, a grano... –parlotearon las gallinas.
–¡No! Olía a aventura –dijo el cerdo misteriosamente.

–¡Oooooh! –exclamaron todos.

-Una luz extraña entraba en forma de rayo -quiso continuar el cerdo-. Era...

-¿Un coche? -le cortaron los ratones.

-¿Un ovni? -dijo el ratón rezagado.

-Una margarita -repitió el burro.

-Era grano, era grano... -parlotearon las gallinas.

-No -cortó el cerdo un poco molesto por las interrupciones-. Era la luz de fuera, del exterior, de más allá del muro de piedra.

- ¡Del más allá! -saltó el ratón rezagado.

-Sí. ¿Y sabéis qué?

-¿Qué? -dijo el burro.

Todos los demás se disponían a preguntar también pero el cerdo intervino:
-¡Que si no dejáis de interrumpirme, no sigo!

Todos cerraron sus bocas, sus picos, sus trompas o sus hocicos y el cerdo continuó:
-Se había hecho un agujero en la pared. Un boquete. Aunque... pensándolo mejor, no. No era un simple agujero...

-¡Era el boquete asesino! -gritó el ratón rezagado y todos le chistaron para que se callara, si se enfadaba el cerdo se quedaban sin historia.
-. ¡Huy, perdón! -dijo el ratón rezagado y guardó silencio.

-¡Era la libertad!

Todos abrieron mucho los ojos con sorpresa y la boca como diciendo «¡oooooh!» pero sin emitir sonido. El cerdo continuó:

–Allí estaba, ante mí, la posibilidad de ir al mundo exterior. Estuve a punto de asomarme, de mirar cara a cara a mi destino, de librarme de estos muros. Podía haber salido. Habría vivido grandes aventuras. Seguro que habría atravesado bosques llenos de lobos que, al notar mi valentía, en vez de atacarme, habrían venido corriendo a lamerme mansamente la mano (y sin morderme). Habría visitado ciudades y conocido gentes. Y al final, seguro que me habría convertido en el líder de los cerdos y por fin habríamos luchado contra la costumbre de hacer jamones con nuestras patas. Habríamos prohibido el chorizo y el salchichón...

El cerdo no pudo terminar su historia porque un gran suspiro se lo impidió. Se quedó callado, sollozando. Nadie decía nada para no interrumpirle y que no dejara de contar la historia. Pero el cerdo tampoco seguía. Al final, el ratón rezagado miró a sus compañeros pidiéndoles permiso. Los ratones asintieron y el ratón rezagado preguntó cariñosamente:

–¿Y qué más pasó, amigo cerdo?

–Nada –dijo el cerdo y todos abrieron la boca como diciendo «oooooh», pero sin sonido–. Justo cuando me disponía a asomarme vi que el granjero me llenaba el comedero. ¡Mondas de alcachofa! ¡Me pirran las mondas de alcachofa! Las miré fijamente. A continuación miré el agujero y me dije, «el agujero puede esperar. Los agujeros no se van a ningún sitio». Y me hinché a mondas de alcachofa. Estaban riquísimas. Caí en un profundo sueño por el atracón, una siesta maldita a cuyo despertar pude comprobar la crueldad del destino:

¡Habían tapiado el agujero!

Todos abrieron mucho la boca en silencio, menos los ratones que se rieron ruidosamente: «Jjjjjjjjjjjj».

–Y aquí se quedó el cerdo, donde siempre, para siempre. Esperando el día en que algo le haga desaparecer como desaparecen los pavos antes de Navidad, como le pasó a Flipi, a Gripi, a Fini, a Pili, a Mili, a Tiquis y a Miquis.

De pronto se oyó, por primera vez aquel día, un grito animal que no venía de la cabra y que hizo huir de golpe a todos los ratones:

–¡Miau!

Esta vez, el rezagado fue el primero en esconderse.

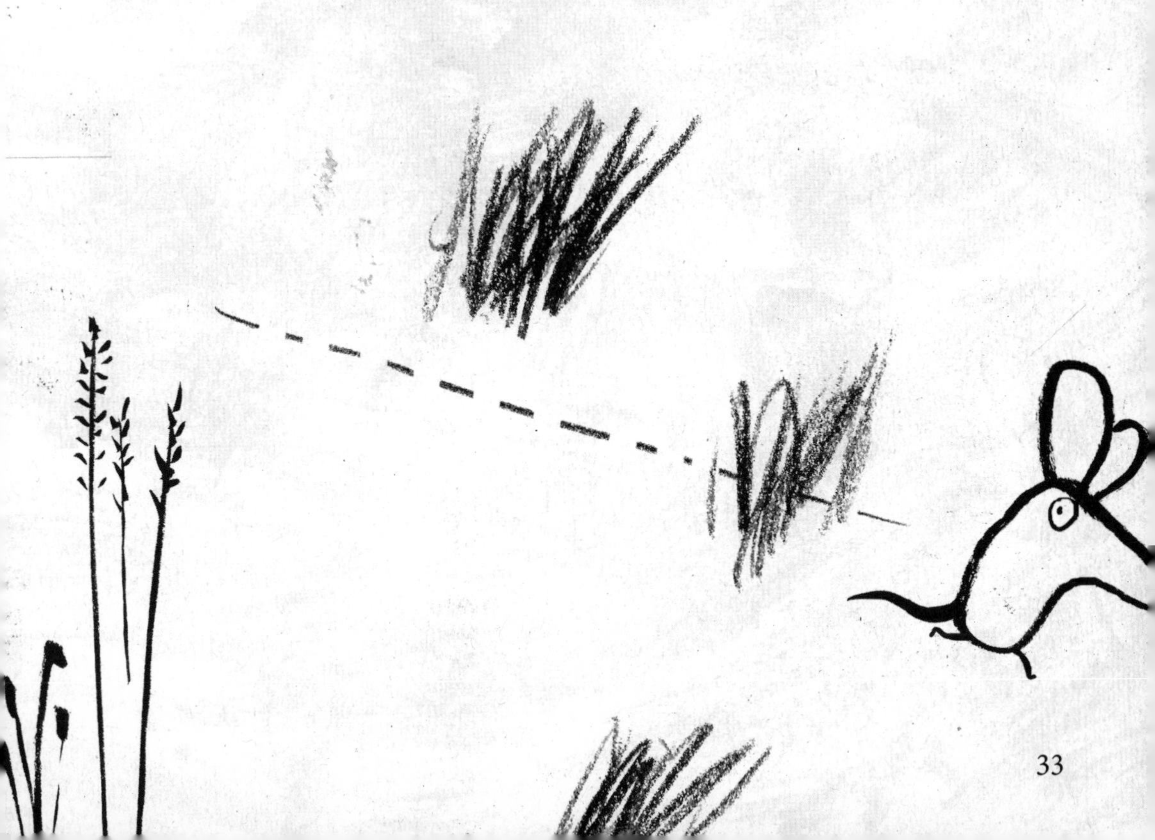

LLEGA LA GATA

La granja estaba silenciosa. El viento movía unas hojas de acá para allá y ese era el único sonido que se oía, junto con el temblar de los ratones escondidos, muertos de miedo por tener a la gata tan cerca. Se vivió una tensa calma que rompió el felino al preguntar:

–¿Dónde están, dulces ratoncillos?

El burro se disponía a señalar hacia los escondrijos de los ratones, pero ellos le hicieron señas para que no lo hiciera.

–¿Es que no van ustedes a salir a saludar a una vieja amiga?

Los ratones desde sus refugios le respondieron:
–Tú no eres nuestra amiga.

–Señores, les noto un poco reticentes a mi compañía.

–No sabemos lo que es «reticentes», pero tú no eres nuestra amiga –dijo el ratón rezagado.

–Pero bueno, todos somos animales de granja, al fin y al cabo –expuso la gata.

–Eso lo dices para que nos acerquemos y poder atraparnos –le respondió el ratón rezagado.
–Eso, y comernos –añadió otro ratón.
–Y despedazarnos –completó un tercer ratón.
–Y aniquilarnos –concluyó otro ratón más.

–¡Pero bueno! Yo nunca les haría eso –se excusó la gata.
–¿Ah, no? Y cuando cogiste a George, ¿qué? ¿Eh? –acusó el ratón rezagado.
–¡Ay, pobre George! ¡Nunca volvió! –dijeron todos.

Pero entonces uno de ellos se extrañó y dijo:
–Eh, un momento. George soy yo.

–¿Y qué? –le dijo el ratón rezagado.

–Pues que a mí no me ha comido –argumentó George.

–¿Veis? –dijo la gata.

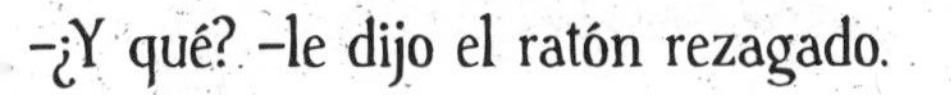

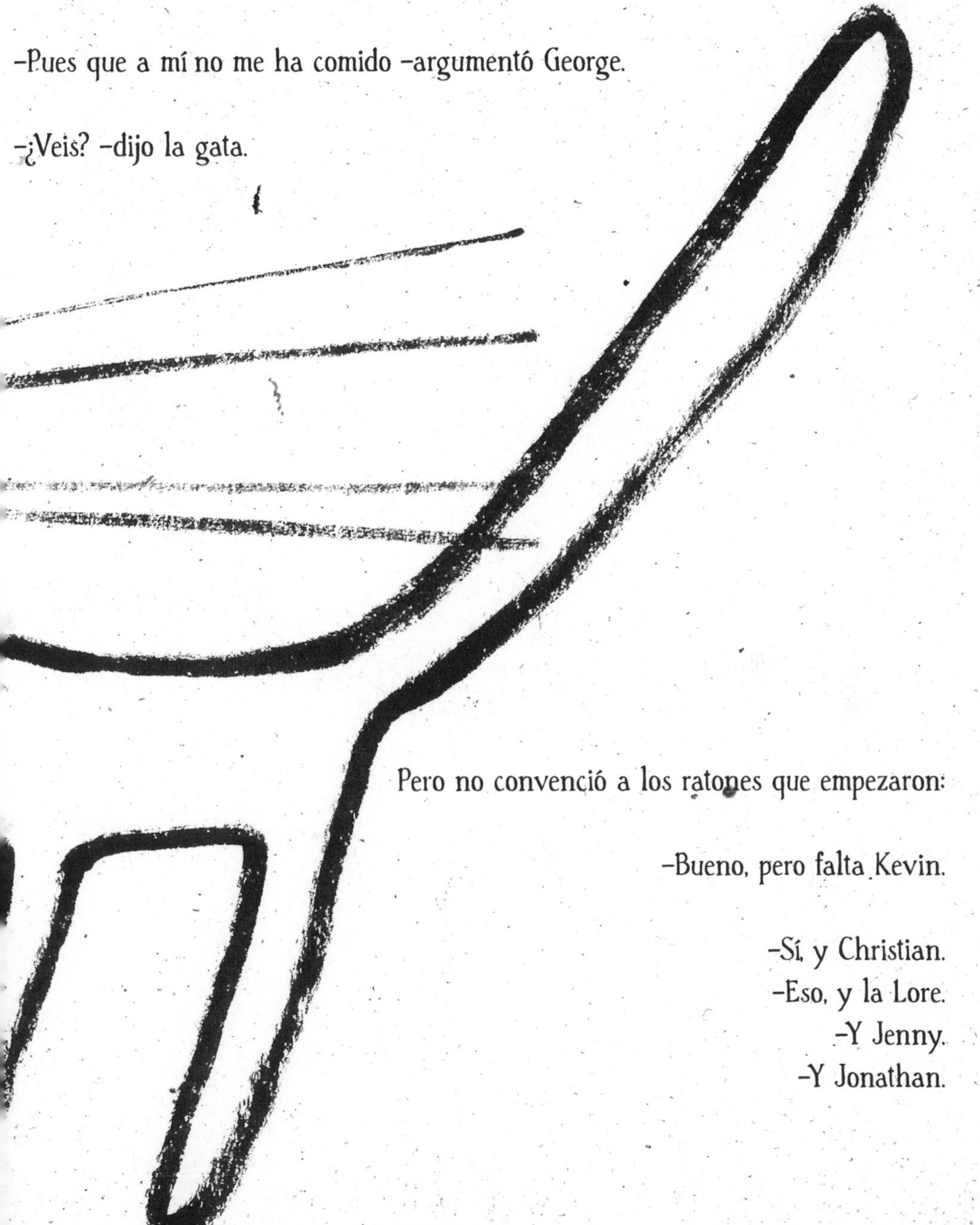

Pero no convenció a los ratones que empezaron:

–Bueno, pero falta Kevin.

–Sí, y Christian.
–Eso, y la Lore.
–Y Jenny.
–Y Jonathan.

–¡Eh, un momento, yo soy Jonathan! A mí no me ha comido.
–Y yo Jenny.

–Y aquí está la Lore.

–Y nosotros somos Christian y Kevin.

–Bueno –dijo el ratón rezagado un poco apurado–. Sea como sea, no eres como nosotros. No dejas de ser un «doméstico».

– Ja, ja, ja –rio la gata–, «doméstico»... eso era antes, cuando trataba de mantener la compostura.

–¿Qué quieres decir? –intervino el cerdo.

–Ya no soy doméstica, soy callejera, como vosotros.

–Nosotros no somos callejeros –se quejó el ratón rezagado.

–Bueno, pues yo sí... Me han echado. No tengo a dónde ir –dijo la gata haciendo un puchero.

–Ya, lo que quieres es echarnos la zarpa y clavarnos tus afiladas uñas –respondió incrédulo un ratón haciendo con su pata el gesto de dar un zarpazo.

–¡Ay! –dijo la gata mostrando sus uñas rotas y viejas.

–Pues tus afilados colmillos –dijo un ratón enseñando sus dientecillos con pretendida fiereza.
–Y devorarnos con tus temibles dientes –añadió otro ratón imitando el gesto de masticar exageradamente y poniendo cara de mal genio.

-¡Ay! -dijo la gata abriendo la boca para que pudieran ver sus encías desdentadas-. Puré de verduras, eso es lo más duro que puede morder esta boca. ¿Por qué creéis que me han echado?

-A ver, déjame pensar... es fácil, ¿te comiste los peces de la pecera?
-No.

-¿Mordiste o arañaste al niño humano?
-No.

-Pues robaste comida, está claro.
-Tampoco fue por eso.

-Pues entonces, fue por... fue por... -el ratón rezagado se dirigió a sus compañeros-: Bueno, decídselo vosotros si queréis.

Todos los ratones intentaron atropelladamente terminar la frase:

-Fue por...
-Sí, fue por...
-Tuvo que ser por...
-Está claro, fue por...
-Por...
-La verdad es que no tenemos ni idea -concluyó el ratón rezagado.

-Pues porque ya no os cazaba -reveló la gata y estalló en un llanto tan triste que llenó de pena a todos los que lo oyeron, incluidos los ratones.

Estuvieron un rato en silencio respetando el dolor de la gata. Al final, intervino el cerdo:
-Un momento, gata, tú vienes de dentro. ¿Qué sabes de la cabra?

–¿La cabra? ¿Es que no está aquí con vosotros? –se extrañó la gata, secándose las lágrimas y poniendo de pronto una sonrisa maliciosa en su rostro–.

¡La cabra! Claro, por eso les oí decir...

–¿Qué? –preguntó el cerdo.

–¿A quién? –preguntaron los ratones.

Y las gallinas:
–¿Qué?

–¿A quién?

–¿Qué?

–¿A quién?

–¿Qué?

–Eso, ¿qué? –dijo el ratón más rezagado que nunca.

–¿De qué estamos hablando? –preguntó el burro que se había despistado mordisqueando una flor.

–De lo que decían adentro –contestó el cerdo al burro.

–Eso, ¿qué decían, gata? –los ratones rodearon a la gata amenazándola con cerillas, palitos, alfileres, en fin, esas cosas.

–Amigos, la violencia nunca es solución. Les contaré lo que sé. No hacen falta esas... armas –dijo la gata burlándose–. Simplemente oí que decían: «Ha llegado el momento». Cuando me echaron pensé que lo decían por mí, pero ahora me temo que podían estar hablando de la cabra.

–¿Quién ha llegado? –preguntó el burro.

–El momento. A la cabra le ha llegado el momento, lo mismo que a los pavos en Navidad –le aclaró el cerdo.

–Como les llega a nuestros huevos cada día –dijeron las gallinas.

–Como les pasa a las gatas cuando se hacen viejas –se burlaron los ratones.

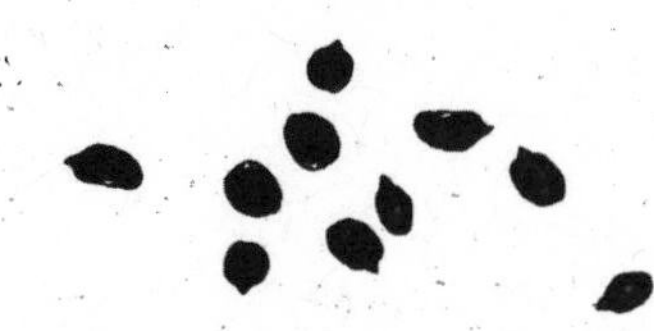

–Pero, ¿es que nadie va a hacer nada? –se indignó la gata sin hacer caso de la burla de los ratones.

Todos bajaron la mirada acobardados y ofendidos. La gata miró a todo el mundo deteniendo su mirada en cada uno y añadió:
–Ah, no. Ya veo que no. Pues para ser amiga vuestra no parece que hagáis mucho por ella.

Se volvió a hacer un silencio incómodo que aprovechó el felino para concluir:
–¡Gallinas! Eso es lo que sois.

En ese momento las gallinas dieron un paso al frente, sacaron pecho con orgullo y dijeron en voz bien alta:

–Sí, somos gallinas.

–Eso es lo que somos, gallinas.

–Y a mucha honra.

–Pero eso no es nada malo.

–Mira con lo que salen las gallinitas –se mofó la gata–. Pero si ninguna de vosotras se ha atrevido a nada nunca.

–Eso no es cierto. Normalmente disimulamos para que no se sepa que somos capaces de resolver situaciones muy comprometidas. Pero cuando es necesario, ¡actuamos!

–Así lo hicieron nuestras madres hace mucho...

–... mucho...

–... mucho...

–... mucho tiempo.

–Cuando ninguno de vosotros había nacido.

LA AVENTURA DE LAS GALLINAS

El sol desde lo alto observaba la charla de los animales y vio como todos se sorprendían del orgullo de las gallinas. A él no le había pillado por sorpresa. Es muy antiguo y ha visto muchas cosas desde allá arriba. Incluso conocía la historia que las gallinas empezaban a contar en ese momento:

–Ocurrió en una noche ventosa...

– lluviosa...

– y desabrida.

–¿Qué querrá decir «desabrida»? –dijo el ratón rezagado, por lo bajini, a los demás ratones, pero ellos levantaron los hombros porque tampoco lo sabían.

–En aquella noche solo se oía el viento, ¡uuuuu...!

–Los truenos, ¡broooum!

–La lluvia, ¡pla,pla,pla,pla!

–Pero de pronto se oyó algo más.

–Un fuerte golpe, ¡buuuuum!

–Algo había caído del cielo...

–estaba... mojado...

–empapado...

–henchido de agua.

El ratón rezagado miró a los suyos como preguntando qué significaba «henchido», pero los demás levantaron los hombros en señal de que tampoco lo sabían.

–Había un pollo.

–Una cría.

–Un animal pequeño.

–Aquí.

–Dentro del recinto.

-Desde el principio se dieron cuenta: no era como ellas.

-Tenía el pelaje distinto.

-Tenía las patas diferentes.

-Tenía ojos diferentes.

-Y, sobre todo, un tamaño mayor.

-A pesar de todo, ellas lo adoptaron y lo criaron como a un hijo.
-Le dieron el calor necesario.
-Siempre dijeron que era hijo suyo, aunque se veía a la legua que no podía ser cierto.
-Y sobre todo a pesar de... ¡la profecía!

-¿Eso qué es? -preguntó el ratón rezagado.

-Algo que ha dicho alguien que va a pasar y que nunca pasa, menos en las películas, pero que mucha gente se cree -le respondió el cerdo.

-La profecía decía: «De fuera vendrán y de un picotazo te comerán».

-No vamos a negar que cierta inquietud provocaba en ellas el hecho de que, a los pocos días, el pollo fuera cinco veces mayor que la más alta de las cinco.

-Pero no le iban a dar la espalda. Decidieron cuidarlo siempre.

-Hasta que al poco pasó algo.

-El pollo se puso triste.

-Las gallinas comprendieron que en algún lugar del mundo habría alguien echándole de menos.

-No sin dolor, porque lo querían como a un hijo, partieron una mañana temprano con la intención de buscar su hogar biológico y devolverlo a sus progenitores.

El ratón rezagado, aunque no sabía lo que era "biológico" ni "progenitores" ya ni intentó preguntarlo.

–Lo iban llevando entre todas. Preguntaban a todo aquel que se cruzaban por los caminos si conocía a la familia.

–Pero nadie lo conocía.
–Nadie sabía nada.

–Es más, nadie había visto un bicho parecido.
–En todas partes les decían cosas como: «De un picotazo os engulle a las cinco».

–Pero ellas no cejaron en su empeño. Atravesaron regiones verdes de eterna primavera, cruzaron ríos, subieron montañas hasta que llegaron al desierto y sucedió lo que tenía que suceder.

–Atravesando el desierto, llegó un momento en que ya no pudieron más con el pollo, porque el calor era mucho.

–Porque el camino recorrido había sido largo.

–Y porque el pollo había engordado hasta pesar más que las cinco juntas.

–Entonces cayeron al suelo medio muertas, sin fuerzas para moverse, exhaustas.

El ratón rezagado se volvió y el cerdo ya estaba preparado para decirle:
–«Exhaustas» significa medio muertas, sin fuerzas para moverse.

Las gallinas seguían su relato:
–Vieron como el pollo, más joven y descansado, estaba fresco todavía (no en vano había sido llevado en volandas todo el camino). Se puso en pie. Medía cinco veces más que las cinco gallinas puestas una encima de la otra. Se acercó a ellas. Aunque no lo quisieran, el recuerdo de la profecía resonaba en sus cabezas. El pollo miró fijamente a una, levantó la cabeza como cuando alguien va a realizar un ataque mortal... pero la cogió con cuidado y se la echó a la espalda. Así hizo también con la segunda y la tercera. A la cuarta y la quinta las sostuvo bajo sus alas y siguió camino.
–La fuerza del instinto le indicó la ruta.

–Y aunque todavía faltaban muchos kilómetros, con sus patas grandes, fuertes y rápidas pudo atravesar el desierto y llegar a la granja de avestruces de donde el viento lo había arrancado.

–Eso fue lo que pasó.

Toda la granja rompió en un sonoro aplauso a las gallinas:

«¡Qué historia tan bien contada!», se decían.
«¡Y qué vocabulario!»

«¡Mira las gallinas, iban de incógnito pero son unas grandes oradoras!».

REMOVIENDOCONCIENCIAS

Cuando los ecos del aplauso que brindó toda la granja a las gallinas se fueron apagando la gata volvió a su papel de aguafiestas:

-¡Bueno, qué historia más conmovedora! -exclamó-. Aunque hay algunos detalles que se os han pasado por alto. Para llegar a la granja de avestruces no hay que subir altas montañas sino una lomita, mirad, no está en la otra parte del mundo, está ahí, muy cerca. Se ve desde aquí. Si tuvieron que atravesar algún desierto es que dieron mucha vuelta.

-¡Jjjjjjjj! -estallaron los ratones en una sonora carcajada pícara. Aunque cuando se dieron cuenta de que se reían de algo que había dicho la gata hicieron como que tosían y fingieron no haberse reído.

-¡Mira qué seco está detrás de la loma! -dijo una de las gallinas.

-Sí, pero no tanto como para decir que es un desierto... Y menos un amplio desierto. Es apenas un bancal -la gata disfrutaba desmontando la leyenda de las gallinas que dieron la vuelta al mundo para devolver a sus padres un polluelo de avestruz.

El cerdo salió en apoyo de las gallinas:
-Bueno, todos sabemos que las historias que se cuentan muchas veces se van exagerando. Lo importante es que vuestras madres hicieron un gran favor a aquella cría de avestruz...

-Sí, no como vosotras que no hacéis nada por vuestra «amiga» la cabra -dijo la gata.

El burro había estado callado todo este tiempo porque había encontrado un libro y se lo había estado comiendo. De pronto intervino:

-¡Ya sé lo que podemos hacer! ¡He tenido una revelación!

Solo tenemos que conseguir que un perro se me suba encima y la gata encima del perro y, encima de la gata, el gallo. No falla. Detendremos a los ladrones y conseguiremos montar una orquesta...

Todos se quedaron callados, con la boca abierta por la sorpresa provocada por las palabras del burro.

–¿De qué estás hablando, burro?

–Pues la verdad es que no lo sé. Me ha venido a la mente como un flash, un nosequé no sé muy bien de dónde. ¡Chico, qué cosas!

–Muy bien, ¿alguna otra idea genial? –dijo la gata casi con desprecio.

–Bueno, si nos juntamos todos quizás podamos hacer algo –dijo un ratón.

–¡Así se habla! –le corearon los demás.

–Nosotros nos adelantaremos –continuó el ratón–. Podemos colarnos por los agujeros y averiguar dónde la tienen.

–Sí, eso, nosotros podemos colarnos por los agujeros –dijo el ratón rezagado.
–Y yo puedo tirar la puerta abajo de una coz –propuso el burro–, cuando sepamos dónde la tienen.

–Sí, esa es una buena idea –dijo el cerdo.

Y las cinco gallinas intervinieron:
–Y nosotras armaremos jaleo...

–... lejos...

–... para distraer la atención...

–... y que podáis entrar...

–... y liberarla.

–Y yo entraré y morderé sus ataduras –añadió el cerdo.

–Yo vigilaré desde aquí arriiiiiiiiiiiba –dijo el gallo y todos se quedaron muy sorprendidos porque, desde que cantó al amanecer, no había vuelto a decir nada.

–Conseguiréis que os metan en jaulitas pequeñas y que os lleven al veterinario porque pensarán que habéis perdido el juicio –sentenció la gata.

–¿Y tú qué harás, gata? –preguntó enfadado el cerdo.

–Me quedaré aquí, guardando la retaguardia y tocando la armónica.

–¿No decías que eras de los nuestros?

–Era broma.

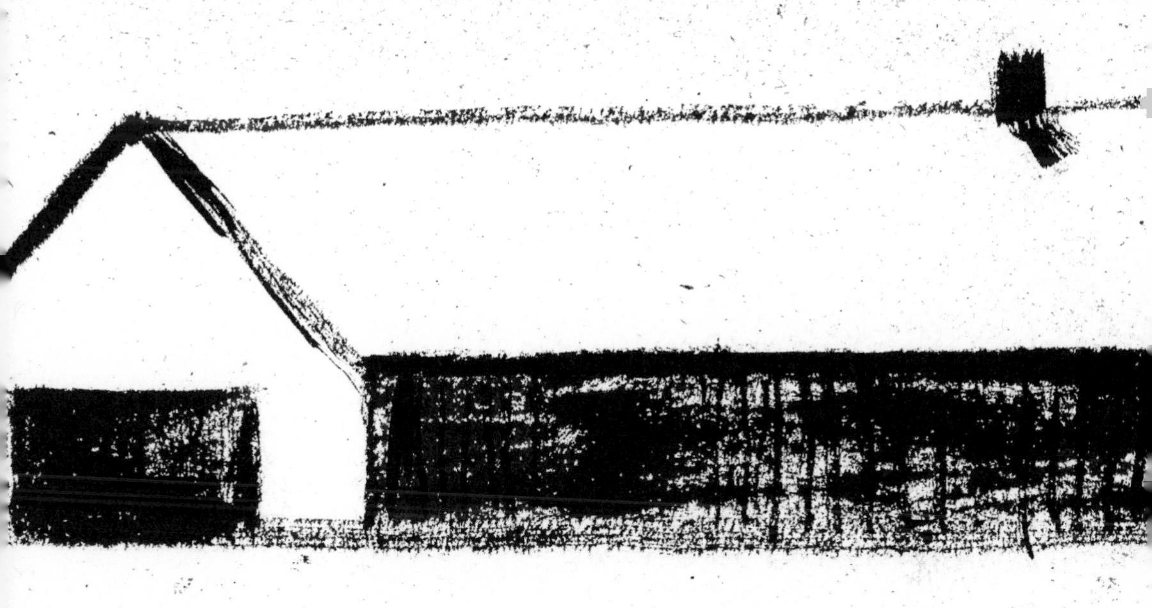

–Déjala, cerdo, tenemos que iniciar la operación rescate. ¡Adelante! Ratones, descubrid la ubicación de la cabra.

–¿La qué? –pregunto el ratón rezagado.

–Dónde se halla.

–¿Dónde se qué?

–¡Que la encontréis! –concluyó el cerdo.

–Ah, vale. ¡Vamos ratones! Cada uno por un lado. A la de una, a la de dos y a la de...

–Un momento –interrumpió la gata.

–¿Qué pasa? Por lo menos no molestes –pidió el ratón.

–No es necesario que la busquéis. Está en el establo del final. El que normalmente está vacío. Ahí la tienen.

–Ah, vale. Pues siguiente fase: burro, corre y tira la puerta –propuso el cerdo.

–De acuerdo. ¡Allá voy!

–Espera, espera, burro –volvió a interrumpir la gata.

–¿Por qué? –dijo el burro.

–Porque no hace falta que tires nada. Aquí está la llave.

–Ah, vale. Pues que alguien la coja y abra, yo con mis pezuñas no soy capaz –dijo el burro mirando al cerdo.

–Ni yo con las mías –admitió el cerdo mirando a los ratones.

–Esa llave es muy pesada para nosotros –confesaron los ratones mirando a las gallinas.

–No podemos abrir con nuestros picos –dijeron las gallinas mirando a la gata.
La gata suspiró y dijo con suficiencia:

–De acuerdo, parece que tengo que hacerlo yo todo.

–No, nosotras iniciaremos la maniobra de distracción en el extremo más alejado de la finca –recordaron las gallinas.

–No hace falta –dijo la gata.

–¡Ah, vaya! La señora gata no necesita nuestra ayuda –dijo, indignada, una de las gallinas.

–Pues no.

–Es que eres muy valiente –intervino otra de las gallinas.

–Bueno, eso... y que los granjeros están en el mercado. No hay nadie –respondió la gata en tono burlón.

–Bueno, da igual –saltó de pronto el burro gritando–.

¡Vamos todos, en tropel! ¡A salvar a la gallinaaaa!

Todos echaron a correr detrás del burro pero entonces el gallo, desde lo alto del tejado, dio la voz de alarma:

–¡Kiiiiikirikííííí!

¡CABRA!

En cuanto oyeron el canto del gallo todos pararon en seco.

-¿Qué pasa, gallo? -preguntó el cerdo.

Pero el gallo no tuvo que decir nada porque apareció corriendo, patizamba y despistada, una cabra pequeña.

-**¡Cabra!** -gritaron todos con alegría.

-¡Sabía que volverías! -dijo el burro emocionado.

El cerdo se quedó mirando aquella cabra con los ojos entornados y dijo:

-Eh, un momento. Es mucho más pequeña. ¿Cabra, eres tú?

-¡Qué raro, no habla! Cabra, ¿qué te han hecho? -se lamentó el burro.

-Alguien la ha encogido -dijo una gallina.

-Sí, alguien la ha encogido -dijo otra.

-¡Ay, que ha encogido! -dijo la tercera.

-A lo mejor es que la han lavado a máquina, como hicieron con el jersey de Albolote -dijo un ratón.

-¿Quién es Albolote? -preguntó otro.

-Quien te regala este calbote, ¡¡¡¡¡¡¡¡¡¡¡¡! -le respondió el primer ratón y le dio un calbote.

En eso apareció otra cabra.

-¡Ay, que no ha encogido, es que han hecho dos cabras con ella! -dijo el burro apenado.

-No puede ser -dijo el cerdo.

-¿Por qué? -preguntó el burro.

El cerdo señaló con su pata a una tercera cabra que acababa de llegar. Todos estaban quietos, con la boca abierta, mientras no paraban de aparecer cabras. Hasta siete llegaron.

Al final apareció la cabra.

-¡¡¡CABRA!!! -gritaron todos con alegría.

-¿Qué te ha pasado? Pensábamos que no volveríamos a verte.

-Yo no -dijo el burro-. ¿A que te has ido persiguiendo una mariposa y te has encontrado una manzana y un papel... y estas siete cabritas?

-No.

-Te han secuestrado los marcianos y te han fotocopiado con un rayo láser -dijeron los ratones-. ¿A que sí?

-¿Qué?

-Nada, no les hagas caso -le dijo el cerdo-. Me parece que está claro lo que ha pasado.

–Sí –dijo la cabra muy contenta–. He tenido cabritillos.

Y todos estallaron en un «¡oooooh!» al unísono, menos el ratón rezagado que no sabe lo que significa «unísono» y al poco dijo:

–Eso, ¡oooooh!

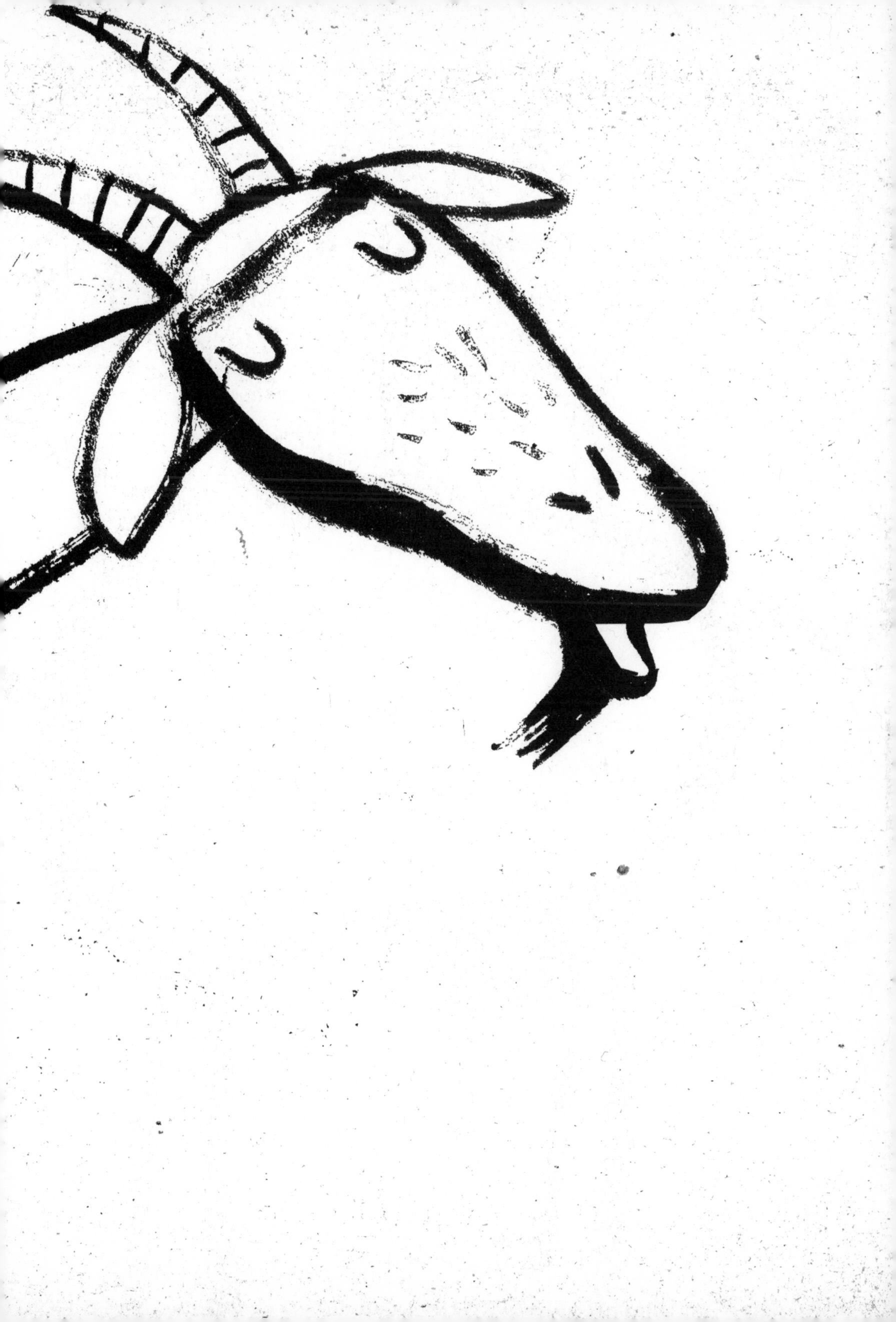

Y el sol, contento de que la situación se hubiera resuelto felizmente, empezó a recoger sus rayos porque el horizonte empezaba a tiznarse de negrura, poco a poco, señal de que la noche reclamaba su espacio en el cielo y él tendría que dejar paso a la luna y a las estrellas.

Y los animales, cansados de un día tan lleno de emociones, se fueron retirando también, con el «bee, bee» de las siete nuevas cabritillas de fondo deseando descansar, pero también que llegara pronto el nuevo día y conocer despacio a los nuevos inquilinos de la granja, ahora que, en vez de una cabra menos, eran siete más.